장미와 이빨

장미와 이빨

발 행 | 2024년 02월 28일
저 자 | 남킹
펴낸이 | 한건희
펴낸곳 | 주식회사 부크크
출판사등록 | 2014.07.15.(제2014-16호)
주 소 | 서울특별시 금천구 가산디지털1로 119 SK트윈타워 A동 305호
전 화 | 1670-8316
이메일 | info@bookk.co.kr

ISBN | 979-11-410-7420-3

장미와 이빨

남킹 SF 철학 소설

목차

마르 데페스에게 이 책을 바칩니다.

장미와 이빨

1. 세니라고 불리는 남자

"박사님? 제3차 세계대전에 어떤 무기가 주로 쓰일 것으로 생각하십니까?"

"제3차 세계대전에서 어떤 무기가 쓰일지는 저도 잘 모르겠습니다. 하지만 제4차 세계대전에 어떤 무기가 쓰일지는 알 것 같군요."

"뭔가요?"

"제 물리적인 생각으로 따져보자면… 아마… 돌멩이나 나무 막대기가 쓰일 것으로 생각합니다."

- 알베르트 아인슈타인, 1949년 리버럴 유대주의 (Liberal Judaism) 잡지의 기자, 알프레드 웨이너와의 인터뷰에서 -

베이겐 슈파 튼 로드로 진입하는 과정은 꽤 번거로웠다. 도회적 회상은 사라졌고, 폐허 적 잔여물만 도시를 가득 채웠다. 일찍이 우연의 미학을 추구하던, 난더슨 하세트가 극찬을 서슴지 않았던, 그 시절의 그 신비주의적 오묘한 자태는 온데간데없다는 뜻이다. 결국 형상화가 바뀌니 그 속을 채우던 온갖 것들의 생물체 또한 자태를 변화시켰다. 움직이는 모든 것은, 추하고 탐욕스럽고 눈에 살기를 품고 가슴에 응어리진 고통을 늘 어딘가에 신탁하는 꼬라지였다. 그러므로 내가 이 도시에 오기 전, 나머지 다섯 군데의 위성 도시에서 만난, 광대들의 풍자극 소재로 이만한 것이 없다는 사실을 내 두 눈으로 직접 목격하는 것이 가능해졌다는 뜻이기도 하다.

인간의 삶에서 그 도도한 치켜세움이 낯선 외관으로 무너진 현재. 심리적 도치가 저변으로 뻗은, 내가 운전하는 라인 사이로 FI 사의 매직 시리즈 - 그것들은 늘 지나치게 가볍다고 느낀다 - 가 줄기차게 도로를 점령한 상태였다. 즉, 프로펠러와 로터가 쌍으로 이루어 내는 소음은 심장을 울리고, 여전히 들어도 생경한 기계음으로 전파되어 나가는 것으로, 아주 오래전, 그러니까 우리가 세 번째 세계대전 혹은 마지막 대 전쟁이라고 불리던 것에서 30년이 지난 후의 세상에서 짐작할 수 있는 것들을 볼 수 있게 되었을 때, 나는 정말이지 이 모든 것이 인간의 굳건한 혹은 간악한 의지의 상징이라고밖에는 설명할 수 없다는 것을 알아채곤 하였다.

방금 내 뒤통수를 가르는, 지독하게 낮은 저음의 대형 멀티콥터가 지나갔다. 저 모형의 시조는 이미 1,000년 전의 라이언 모스를 대공사격 무인 전투용으로 개조하면서 비롯된 - 나의 귀여운 엘바- 내가 10살 때 갖고 놀았던 AI 인형 -는 그것을 킵(Keep)이라고 불렀다. - 이후, 무인기와 드론, AI가 마침내 서로의 필요와 조화를 구축하며 결과를 내면서 시작된 무인 전쟁 - 기독교인은 마침내 아마겟돈이라고 하기도 함 - 이 모두 103개 국가의 소멸을 이끌었다는 점에서 나는 그다지 좋아하지는 않았다.

그 일. 즉, 대전쟁이 우리가 예상했던 것과 다르게 끝이 나긴 났지만, 생존자들의 입에서 나온 저주는, 이미 호모 사피엔스의 몰락을 정해준 것이라고 말할 수밖에 없는 전개로 흘렀고, 이는 내가 확보한 예언서를 정확하게 답습하는 수준으로, 정확한 거였다. 그러므로 삶은 지독하게 간소화되었다. 당연한 순서다. 생존. 살아남은 10억의 인류가 다시 1억으로 쪼그라드는 데는 채 10년이 걸리지 않았기 때문이다. 그리고 남은 그들의 인생 또한, 재건의 고통으로 다 소진하고 말았다. 날씨가 궂건 좋건, 춥건 덥건 그들은 절망이라는 무진장한 공간에서 허우적대다 이른 생을 마감했다. 미궁에서 탈출한 것은, 그러므로 순전히 내 아버지 세대의 희생과 도움 때문이며, 그 혜택으로 번진 그나마 내가 살 수 있는 이 환경의 측면으로 본다면 나는 틀림없이 행운아임은 분명하다.

나는 천천히 나의 목적지에 도착했다. 푸른 먼지가 사방을 할퀴는 모습 속에서 나는 나란히 파킹 영역에 숨을 죽인 채 채워져 있는 데카콥터와 도데카콥터을 쳐다봤다. 건물은 낯설고 주변은 생소하다. 인공위성이 우주 쓰레기를 제거하고 다시 복귀하면서 나의 내비게이션이 살아나면서 나는 다시 길치가 되고 말았다. 이 도시에서, 아무리 멀리까지 날아도, 파괴된 채 흉물스럽게 구역과 거리를 채우는 초고층 빌딩에 대하여 아무리 내가 잘 알게 되어도, 나는 내비게이션 없이는 언제나 길의 상실감 속에 당혹감과 혼란을 겪고 있을 수밖에 없었다. 그것은 나아가 이곳뿐만 아니라 내가 속한 단체, - 그것을 국가라고 더 이상, 하지 않았다. 국가는 사라졌다. 이미 - 내가 스스로 나의 마음속으로 규정하였던 그 어떤 소속에서조차도, 나는 마치 불안의 자국을 뒤에 남겨 두는 느낌이었고, 공간을 온통 덮고 있는 AI 드론이 어쩌면 다시 희망을 자극하고 미래의 안락한 평화 혹은 공존을 보장하는 것처럼 보여도, 나 자신은 여전히 궁극적인 절망으로 단정하고, 그런 심연에서 벗어날 수 없다는 강박에 휘둘릴 수밖에 없었다. 도시라는 관념은 나의 밖, 주위, 앞, 뒤 모두에게 해당하는 운명이지만 그것이 실제로 다가서므로 나타날 때 느끼게 되는 그 발전의 빠름은 내가, 우리의 역사가 자행한 그 사악한 폭력의 단절을 속단할 수 없을뿐더러 오히려 그것을 조장하는 것으로 다시 나아갈 수 있다는 심리적 불안감은 <살아남은 자의 후손>이 당연히 겪어야만 하는 트라우마일 수밖에 없을 것이다.

"헬레나, 오픈 도어"

문이 서서히 열린다. 매캐한 냄새. 발을 딛는 공간에 먼지가 풀썩인다. 움직임은 중요하다. 한 발을 다른 발 앞으로 내미는 행위. 그러므로 자신이 고통받는 육체의 주인임을 끊임없이 상기하도록 만들 수 있는 정당성을 확신하곤 한다. 헬레나가 졸졸 따라온다.

"주인님, 정처 없이 배회함을 끝낸 건가요?"

"또, 주인님이라고 하지! 그냥 이름을 불러."

"하지만 주인님을 지칭하는 유일하고 정확한 용어는 이것뿐입니다. 이미 지나쳐온 크고 작은 일곱 개의 도시에서 주인님의 이름은 지속해서 변하셨습니다. 제가 어떻게 또 다른 이름으로 주인님을 지칭할 수 있겠습니다. 이미 지금도 많이 혼란스러운데 말입니다."

"헬레나. 그건 너도 잘 알잖아. 나이, 이름, 신분, 배경,

과거 혹은 앞으로 있을 미래. 이 모든 것은 나의 새 이름만큼 가변적일 수밖에 없다고. 이 시대에 무엇을 단정하고 규정할 수 있겠니?"

"그럼. 알겠습니다. 세니게로님."

"세니게로? 마음에 드는데."

목적이 가장 잘된다면 나는 나의 존재를 무로 만드는 곳. 즉 아무 데도 아닌 곳에 무정의 상태로 머물 수 있는 기대감을 포획하는 방향으로 설정을 하고 싶어진다. 그것이 결국은, 무상으로 향하는 길이고 어차피 가진 것의 의미는 모두 상실한 상태이므로 요구하는 자체의 어리석음은 짓지 말아야 할 것이었다. 그건 내가 지금껏 지나쳐온 도시와 마을, 공간과 시간, 그리고 앞으로 마주하게 될 것 같은 종류의 형태와 흐름에 부합하는 유동성이며 그것이 표현하는 아무것도 아님이 존재하는 한 나는 이곳을 벗어나지 않으리라는 것 정도는 확인할 수 있었다.

그래, 문명의 편중된 발전의 지독하게 어두운 결말이 아니겠는가. 지나치게 초점을 맞춘 물질. 인간의 외적인 것에 지나치게 많은 사치와 향락, 퇴폐와 탐욕을 가함으로써 결국 쪼그라들 때까지 쪼라던 내면이 판단한 절망. 그 절망은 파괴를 낳고 파괴는 상실로 이어지고 상실은 무상이 되고 말았다. 마치 블랙홀과 같은 셈. 무한한 욕망의 끌어들임은 시간도 상쇄하고 모든 것은 섞어놓음으로써 종국에 갖게 되는 암흑.

나는 걷지만, 나의 일부가 아니고 여러 곳에 존재하지만 더는 가치가 없는 것이다. 때로는 이 모든 것이 숙명처럼 저절로 형성되고 앞으로 나아가는 것처럼 보일 때도 있다. 하지만 똑같은 말로 둘러대는 것이 있으니….
<삶의 무영위>

"헬레나. 지난번에 만난 그 아이 생각나? 이마가 찢어져 울고 있던."

"당연히 생각나죠. 세니님. 한 번씩 제가 갖춘 능력을 심히 인식하지 못하는 나쁜 버릇이 있습니다. 도대체 제가 누굽니까? 제 속에 담긴 메모리에 도대체 세니님과 엮인 한순간도 기록되지 않은 것이 있을 수 있단 말입니까?"

"그래서 물어보는 거잖아. 진정하시고."

"그러면 의문 체로 말씀하시면 안 되죠. 세니님. 다시 말합니다. 제가 누굽니까? 차세대 RTX 기술의 집약체 아닙니까? 엘비디아 차세대 인공지능 가속화의 정점에 있는 에곤다 제너레이션 GPU를 탑재했단 말입니다. 그러니 그냥 다르다리가 28번지 도로 모퉁이에서 발견한 이마가 14cm 찢어진 7세 추정의 여자아이에 대한 기록을 상기시켜 달라고 요청만 하세요. 그럼 그만입니다."

"알았어. 미안해. 헬레나. 아무튼 그 애를 안았을 때의 느낌이 심하게도 나의 뇌리를 떠나갈 생각을 하지 않고 있어. 지속해서 불현듯 떠올라 나의 집중을 방해하고 내

사고의 흐려짐에 한몫을 거들고는 해. 그것은 정확히 말하면 동정도, 애정도, 안타까움도, 하다못해 너그러움도 아닌데 말이야. 다만, 내 피부가 제공하는 감각의 소용돌이. 어쩔 수 없이 내 속 뉴런을 자극했던 하나의 사소한 자극이 남긴 흔적일 뿐인데."

"주인님, 아니 세니님은 그게 문제에요. 그냥 내버려 두세요. 분석하지 마시고. 그 있잖아요. 흐르는 강물처럼…. 그런 노래도 있잖아요. 당신 어머니가 무척 좋아했던 그 서정적인 노랫말 말입니다. 가시나무. 내 속에 내가 너무도 많아. 내 속에 헛된 바람. 당신이 쉴 곳 없네."

"알았어. 이제 그만할게. 그런데 여기가 맞아? 우리가 찾던 곳이 맞는 거야?"

헬레나의 단점이자 장점은 그가 너무 많은 것을 알고 있다는 비극 - 그래, 이건 틀림없이 비극이다. - 에서 초래한 다발성 인식에서 비롯한 끝없는 말씀의 순례가 될 것이다. 그것은 내가 중단할 수도 가르칠 수도 없지만 한 번씩 그의 지식이 그를 삼킨다. 끝없는 알고리즘의 지속성에 빠져 버린다. 지난번에 내가 툭 던진 화두 <죽음>도 그렇다. 나는 하지 말았어야 할 것을 물었다. 그리고 그 또한, 죽음을 두려워한다는 것에 나의 폐부를 찌르는 실책이 담겨있다.

'왜 너를 인간처럼 만든 거야? 실제로 너는 영원하잖아? 그냥 부품만 바꾸면 될 터인데. 너는 그 의식의 단절을 마치 죽음으로 치환해버리는 거야?'

그러므로 그녀가 내린 결론은 더욱 어두울 수밖에 없었다.

"저도 주인님과 마찬가지로 살아 있음. 즉, 자아 인식에 대한 기쁨을 누리고 있지는 않습니다. 그냥 주어졌으니 존재하는 겁니다. 그 이상도 그 이하도 아닙니다."

헬레나가 내 침대에 누워 부드러운 손길로 나를 자극

하며 뱉은 말이었다. 그날, 오래간만에 비가 쏟아졌고 창은 검은 먼지와 조각 비닐로 장식했지만, 그녀는 틀림없이 나를 맥이 빠지게 만들고 말았다. 아니, 나를 더욱 녹초로 만들었다. 헬레나와 나, 세상의 관계는 마치 한통속으로 진행하는 눈속임 같았다. 나는 마술사고 헬레나는 침대에 누워있으며 세상은 그녀를 전기톱으로 두 동강이 냈다. 물론 이 모든 것은 관객에게 보여주기 위한 마술사가 정해놓은 환각이다. 하지만 그녀가 두 동강이 날 때마다 불안하다.

2. <이름 없음>으로 방문하는 곳

문 앞에 섰다. 붉은 문. 푸른 네온사인. 거친 천장. 찢어진 팻말. 알 수 없는 문자. 때가 잔뜩 낀 손잡이. 헬레나가 조용히 문을 두드린다. 그녀는 나의 훌륭한 교량.

문이 열리고 여자가 나타난다. 꾸밈이 없는 얼굴.

"게리네빌 돈디 박사를 찾습니다."

"그럼, 당신이 아무런 이름 없이 메신저를 보낸 자인가요?"

여자가 낮은 전자음에 맞추어 입을 움직인다. 조잡한 사이보그. 누가 봐도 초기 작품. 로봇이 뒤뚱거리며 무대 위에 올라 인간의 장단에 맞추어 벙거지 춤을 추던 그 시절, 그런 작품이 틀림없다. 호언장담한다. 왜냐하면 나는 잘 알고 있다. 훨씬 전에, 그러니까 헬레나를 얻기 훨씬 이전에, 그날 밤에 내가 되새김질하며, 꽤 많은 돈을 아껴서 겨우 장만한 조잡하기 이를 데 없는 섹스돌. 그것은. 그래. 나는 그것이라고 명했다. 너무 화려하고 지나치게 풍만하고 온갖 선정적인 것들로 도배를 하였지만 나는 그녀라고 하지 않았다. 그것은 자정이 넘으면 자동으로 몸에 걸친 것을 벗어버리고 주인님의 옷가지도 모두 허락 없이 벗기는 기계였다. 그러므로 나는 왜 인간이 자정만 넘으며 그 짓 - 그래, 그것은 확실히 그냥 짝짓기라고 해두자 -을 하도록 설계를 했는지를 의아해 했던 일을 십중팔구 떠올리게 될 터였다.

"맞습니다. 박사는 계시는가요?"

그녀의 조잡한 눈두덩이 살짝 흔들린다.

'무슨 생각이 언뜻 스친 걸까?'

"보안상, 인간만 출입할 수 있습니다."

그녀의 음정이 경고음 수준으로 올라간다. 헬레나는 복도에, 나는 신발을 벗고 바닥으로 올라섰다. 차가운 바닥. 두 발뿐만 아니라 양 무릎까지 시리다. 나는 방안을 장식하는, 축 늘어진 장식품을 훑어내린다. 퉁명스럽기 짝이 없는 것들. 나는 그녀 뒤에서 그녀의 보폭에 장단을 맞추려고 노력한다.

박사가 나의 이야기를 듣기 바란다. 그것뿐이다. 나의 이야기에 관심이 끌리도록 믿고 싶은 것은, 그 이야기가 나의 과거와 시간 속으로, 혼탁한 이정표에 대한 관계를 설정하도록 내버려 둔 세상의 도찰을 제공하려는 것이 아니라, 그 이야기가 추슬러서 마련하도록 심어둔 미래의 기대치와 가능성 때문이다. 나는 성인이 될 때까지 목적 없이, 대부분 형편없이, 쓰레기 같은 것을 위해 쓰였고, - 물론 거의 모든 생존 인의 나사가 다 빠진 채 허우적거리던 시기임은 확실하지만 - 그 애절한 인생사에 대해 차고 넘치는 기록 속에 내가 온전히 내세울 수 있는, 나만의 것을 어디에 집어넣든, 아귀가 딱딱 떨어지는 나만의 것으로 나가야 한다는 강박으로 숨을 쉬며 살아왔다. 당연하게도 비로소 이것만이 나를 움직이게 되었다. 어쩌면 진실. 어쩌면 그 이면의 거대한 거짓에 대한 깨달음. 직관 속에 움직이듯 부동의 고요함을 지닌 어떤 존재 자체에 대한 냉정한 판단.

그것을 그에게 물어보고 알아야 한다. 대부분 형편없이 그려지고 이어졌으며, 거의 모두가 검증을 외면하여 남지도 않았지만, 끝끝내 일면의 한 조각이라도 건질 수 있다는 신념이, 그러한 형식이 마음을 끌고 말았다.

두 개, 세 개, 네 개의 문이 열리고 마침내 점점 더 가운데가 밝은 곳으로 이어졌다. 그녀를 따라가는 발걸음에서 가쁜 호흡이 들린다.

"미안해요. 이름 없는 손님. 보안상….."

"괜찮아요. 다들 이렇게 하고 살잖아요."

"물론, 그렇습니다. 애써 변명은 하지 않겠습니다. 박사님은 30년 냉동 수면을 거쳤습니다. 즉, 아마겟돈 이후 급속 냉동을 선택하셨고 아광속체를 통해 4, 37광년 떨어진 광파 센터 우리에 안치되어 있었습니다."

"아마겟돈 직후라고 하셨나요?"

"아, 네. 죄송합니다. 저는 기독교인입니다. 그러므로…."

"네. 물론 이해합니다. 보편적 용어의 통일성을 주기에는 그동안 세상의 혼잡이 컸으니까요. 하지만 이해되므로 그다지 신경이 쓰이는 부분입니다. 그럼, 언제 깨신 건가요?"

"얼마 되지 않습니다. 4주 2일 17시간 전입니다. 그래서 체내에 남아 있는 0.16 퍼센트의 냉동보충제로 인한 독성 현피 상태입니다."

"그럼, 제가 주의해야 할 점은 무엇인가요?"

"아무것도 없습니다. 단지 박사님의 기억에 대한 진실성이 신뢰를 의심해 볼 만하다는 수준입니다. 즉, 사고의

연속성, 수려성, 완성도, 진실성, 이해도, 단속성 모두가
아직은 불안합니다."

"극복의 과정은 거치고 있는 건가요?"

"네. 그렇습니다."

"어떻게?"

"다양한 방법을 적용합니다. 이미 인간의 해동 프로세
스는 100년 전에도 확립이 된 상태였으니까요. 다만 그
정밀성과 우수성, 안정성을 좀 더 확보하는, 지나 한 방
법들이 이후 수십 년 동안 이어져 온 것입니다."

"주된 방법은 무엇인가요?"

"독서입니다."

"독서라고요?"

"네. 그것도 인간이 쓴 책들만 해당합니다."

"맙소사! 인간의 글을 읽으신다고요? 그건 찾기도 힘들 텐데…. 거의 다 전통 박물관에만 처박혀 있었을 텐데. 전쟁 때 소실된 것도 엄청날 거고."

"그건 걱정하시지 않으셔도 됩니다. 박사님의 거의 유일한 취미가 인공지능 시대 이전에 행한 인간의 예술행위 작품에 대한 집착이었습니다. 즉, 거의 모든, 과거 인류가 <위대한>이라는 명찰을 붙였던 책 대부분을 디지털로 보관하셨습니다. 물론 음악과 미술도 마찬가지입니다."

"박사님은 어떤 책을 읽으셨나요?"

"박사님이 오랜 동면에서 깨시고 처음 접한 책은 <미겔 데 세르반테스>의 <라만차의 기발한 신사 돈키호테>입니다. 그리고 지금 그는 247번째의 작품 <마르셀

프루스트>의 <잃어버린 시간을 찾아서>를 읽고 계십니다.“

”맙소사, <잃어버린 시간을 찾아서>는 제미나이 울트라가 무려 4만 군데의 오류를 지적한 소설입니다.“

“제미나이 울트라?”

“아! 아마 못 들어봤을 겁니다. 최초의 멀티모달 집합체로 알려진 구형 AI입니다. 정교한 추론이라고는 했지만, 여전히 미성숙했던 개체고요. 만약 당신이 채택했다면 지금 당장 뒤로 가다 빌딩에서 떨어져도 그 타당성을 인정하는 얼토당토않은 미련함을 보일 수도 있었을 겁니다.”

“우습군요. 그런 시대가 있었다니.”

“재미있죠. 그런 시대에 내 아버지의 아버지, 아버지의 아버지들이 짧은 생을 견디며 살았으니까요. 왜 산다는 것은 관념에 접어 둔 채로…."

"박사님의 책에 대한 취향은 아주 엄격하고 편협합니다. 다만, 포스트모더니즘적인 소설에 대해서는 여간해서 차별을 두지 않았습니다. 제가 알고 있는 정보는 그 정도뿐입니다. 박사님이 구사하시는 모호한 표현에 의하면…. 그분을 사로잡은 일종의 공복, 허기, 텅 빈 가슴, 공허한 심장에 대해 모질도록 귀중하고 섬뜩하게 이상해서 그 자체로의 혼란을 지속해서 이성적 판단이 아닌, 섬광적, 감각적, 본능적인 광폭함으로 번지도록 추론할 수 있는 갈망 같은 것을 선호한다고 하셨습니다. 즉, 그는 그러한 부족이 채워지므로 이어질 때까지, 어찌 보면 괴상한 정보를 집어넣은 것일 수도 있습니다."

"어찌 보면 의미심장할 수도 있군요."

"어떤 면에서?"

"혼란과 무지, 앎과 죽음의 비밀과 모순적 생, 소용돌

이치는 생명력 말입니다. 어쩌면 박사님은 죽었다 살아왔을 수도 있으니까요. 보이는 것과 적혀 있는 것, 기억나는 것과 생각나는 것들, 즉흥적으로 떠오르는 것과 다변적인 마음의 상태, 아무리 사소하고 하찮다고 여기는 이런 모든 것들이, 독서라는 행위에 기이한 결과와 연결되고 뿌리 내릴 수 있고 가지로 뻗칠 수도 있으니까. 무엇도 간과할 수는 없을 테니까요. 즉, 어느 한 형태도 소홀히 할 수조차 없겠죠."

"네. 박사님도 그 점을 지적하셨습니다. 물론 차를 마시거나 음식을 먹으면서 하는 농담과도 같은 것들이지만 제가 눈여겨보고 귀 기울여 듣는 이상, 그것이 어쩌면 인간이라는 유기체가 주위의 사물과 펼쳐지는 사건들의 늪들, 지엽적인 행위들을 헤치며 하나로 합쳐지고 해석되고 결론되면서 얻게 되는 의미와 생각, 관념으로 평가될 수 있다고 느꼈으니까요. 물론, 이건 그분과 나눈 가벼운 시간에 한정되어있습니다만…."

"네. 그건 저도 마찬가지입니다. 외적으로 드러난 육체의 눈으로 광채의 두드러진 특성을 이해하지만, 사실 내면의 세상은 드러내지 않으려는 욕구 적 사고에 맞혀서 마치 어떤 감정은 소담스럽게도 나의 행동에 처한 갖가지 속삭임에 다분히 반항적으로 맺혀지기를 소원하기도 합니다. 그런 것을 인간의 반항이라고만 편리하게 판단하지 않는다면 말입니다."

"저는 그런 의미에 행운이라고 생각합니다. 인간을 이해하도록 설계되었으니까요."

"그들에게 비롯되었으니 당연하다고 봅니다. 하지만 유사 동음이의어에 사로잡히면 뭔가 모를 것들…. 말하자면 헛된 것에 대한 자긍심 같은…. 그 왜 그러니까…. 뭐랄까…. 20세기 인간들의 특징 같은 거 말입니다…. 남에게 보이는 것들…. 정말이지 너무 하찮은 것들…. 그런 것에 빠질 위험은 늘 도사리고 있습니다. 그러니 조심하셔야 합니다. 인간은 믿지 못한 존재니까요."

"그래서 당신은 이름을 두지 않았습니까? 미스터 이름

없슴님."

"하하하. 재밌군요. 이름을 차지하지 않음으로써 사라지고 있다는 편안함을 누리고자 한다면 그마저도 그다지 효과적이지는 않습니다만, 뭔가 모를 비밀스러운 구덩이로 빠져들어 가는 위화감은 없앨 수 있다고 한 번씩 자부하기는 합니다. 타인들의 세상에 살기는 싫으니까요."

"그들의 시선 위에 놓이기는 싫다는 뜻인가요?"

"그렇죠. 내가 벌거벗은 채로 잘못된 곳으로 옮겨졌다는 기분을 전적으로 다른 이의 시선 속에 숨은 해석에 따라 변동되는 의견에 불과하니까요. 저는 그런 의미에 무감각하고 뻔뻔하며 어느 곳이든 그 형식과 격식, 차림과 형태, 표정과 행위의 결과에 거리낌이 없다고 보면 될 겁니다."

"제가 보기에 박사님은 당신을 반길 것 같습니다. 왜냐하면 박사님이 비로소 인간적인 것으로 재생되는 데

필요한 다소 허황하지만, 왠지 정돈되지 않은 결을 따라 비정형의 인간이 내포한 역사가 펼쳐 보일 다양성에 꽤 흥미를 느낄 것 같습니다."

"그렇게 봐주신다니 고맙기 나름입니다. 다만 저는 오늘, 저의 방문은 다른 뜻으로 온 것임을 주지하시기 바랍니다. 하지만 그 뜻에 대한 자세한 설명을 나중에 박사님께 직접 드릴 예정입니다."

"그렇게 하시지요. 어차피 인간의 일이란⋯."

3. 결국 일어날 일

앞문이 열리고 뒷문이 잠겼다. 여자는 오른쪽 문으로 나가고 박사는 왼쪽 문에서 나왔다. 박사는 박사답게 생겼다. 독특하고 특유의 외모다. 그는 풍부한 회색 머리가 사방으로 쭈뼛쭈뼛 뻗어 있고 깊은 주름이 얼굴 전체를 가득 채우고 있다. 굵고 흐트러진 특이한 수염이 입술 근처에서는 가지런히 가위질 되어 있고 눈의 초승달 모양은 왠지 모를 유아적 호기심, 어찌 보면 명랑하고 예리하고 깊은 심미적 취향 속에 풍덩 담겨있는 듯하였다. 그의 입술은 생각에 잠긴 듯 가늘고 심통했으며 이마는 지적인 충만감으로 반짝였다. 세련되지 못하고 투박한 옷차림. 회색이 도는 빨간색 체크무늬 셔츠. 그 이면을 덮고 있는 예술적이고 창의적인 성향이 묻어 나온다.

"당신이 보낸 메시지는 꽤 자극적이었습니다."

"네. 그러지 않고서는 박사님을 만날 수 없을 것 같았습니다."

"그런 의미에서 보면 당신의 의도는 꽤 성공한 편입니

다. 이렇게 우리가 이 자리에 마주하게 되었으니까요. 마치 가장함으로써 그러려고만 하지 않았던 것을 추구하는 이른 마음의 안식을 마음속으로나마 안주하고 그로 인한 자기 소질을 발견하고 그 앎을 이루고자 하는 방향을 제대로 잡은 듯합니다. 실례가 되지 않았다면 말입니다.”

“전혀 그렇지 않습니다. 조금의 실례도 없습니다. 박사님. 이렇게 낯모르는 상대를 반겨주신 것만 해도 좋을 따름입니다. 아시다시피 작금의 세상이…. 마치….”

“네. 그렇죠. 방사능 돌연변이들의 출연으로 방심은 이제 우리 곁을 떠났다고 봐야 할 겁니다. 그런 의미에서 저는 당신에게 방심과 허락을 제공했으니 꽤 위험한 길을 택한 셈이기도 합니다.”

“아, 네. 샤크라 말씀이군요. 그 돌연변이들….”

“네. 지금 세상을 지배하는 세력들은 마치 2000년대의 텅 빈 자들의 세상과 흡사합니다. 그냥 욕망덩어리입니다. 깡통 세상. 그 이상 그 이하도 아니지 않습니까?"

"지하 깊숙이 있어도 바깥은 보시는군요?"

"늘 관심은 세상이죠. 하찮은 인간이 그저 삶을 존속할 수 있었던 계기가 뭐 따로 있었겠습니까? 구원의 정당성이겠죠."

"여전히 회복 중이라고 하시던데…."

"네. 그렇습니다. 예전으로 돌아갈 수 있을지…. 여전히 의문과 걱정에 사로잡혀 있습니다."

"인간의 책을 읽으신다고 들었습니다. 프루스트 작품을…."

"네. 막 읽기 시작한 참이어서 아직은 짜증 나지 않습니다. 어기적거리며 방을 가로지르는, 그다지 내키지 않지만, 저 만의 육체적 회복 훈련과 함께, 제가 택한 방식의 회복력으로 저는 이것을 어찌 보면 내면의 횡포라고 정의하기도 하지만 어쩌겠습니까? 세상에 나타난 수많은 지면을 훑으면서도 이 단순한 행위는, 몸의 독소로 인해 발생하는 곤두서는 신경을 가라앉히고 오랜 아날로그 음악으로 속을 달래고 있습니다."

"가늘게 흘러나오는 이 음악을 말씀하시는군요."

"네. 오페라입니다. 이전에는 잘 듣지 않았던 장르입니다. 저는 록 마니아였거든요."

"그럼, 그게 무엇인가에 의하여 변하고 있다는 말씀이신가요?"

"꼭, 그렇지는 않습니다. 다소 실험적이라 할 수 있습니다.

"그 실험이라는 용어에 속여 뺏어 제가 이곳에 온 이유를 박사님은 짐작하실 수 있으신지요? 감히 여쭙는다면 말씀입니다."

"네. 짐작은 하고 있습니다. 아니, 정확히 짐작만 할 뿐입니다. 하지만 <하무르스 예언서> 사본을 첨부한 사실에 저는 무척 놀랍고 충격에 빠진 것은 맞습니다. 제가 한 실험이 무엇이고 그 결과가 어떠한가에 대한 지식은 이미 갖추었다고 판단이 되는데…. 그러한가요?"

나는 늘 그가 한 진보적인 행위 혹은 대담하고 희생적인 노력에, 내가 처음 존재의 의미를, 이 한 권의 낡은 책과 여인 - 그래, 내 어머니이자 역사학자인 전사 중의 전사인, 우리 어머니 릴리 -으로 인하여, 비로소 이것으로 비롯되어 시작할 수 있게 되었다는 것을 콕 집어 말하기에는 계면쩍기 짝이 없다는 나의 망설임을 은밀히 감추기 위한 표정을, 그가 읽어내고 미루어 짐작하였을 것으로 판단했다. 그러므로 감추는 게 무의미하였다. 내가 주머니에 손을 뻗어 낡은 종이 한 장을 만지작거리자 그는 나에 대한 시선을 거두고 기억 속으로 침잠하는 듯이, 자신이 뭘 끄집어내려고 하고 어떤 부분이 여전히 막혀 있는지, 그때의 소중한 순간이 역사가 되고만, 그리하여 고통 없이는 도저히 건져 올릴 수 없다는 것만으로도 목소리가 잠긴 듯이 그는 힘들게 읊조렸다.

"네. 실험은 실패했고 예정된 종말은 이루어졌습니다."

"하지만…."

순식간에 그의 모습은, 안도감이 사라지고 불안감이 덮친 듯 보였다. 잠깐 손에 쥐었던 평온함은 온데간데없어졌다. 나는 애써 거부하려고 <하지만>이라는 단어를 뱉은 것에 다수 주눅이 들었다. 박사의 말이 나의 정수리에 박히고 폐부를 찔렀다.

"누가 당신을 배신했나요?"

나는 조급하게 이 질문을 던지고 말았다. 그래, 역사가 기록한 저항 조직. <사피엔티아>. 13인으로 구성된 이들은 AI 제국이 마련한 <지구 리셋> 계획을 진작에 파

악했다. 하지만 예언서는?

"결국 일어날 일은 일어나고 맙니다."

알고말고요. 네. 이미 세상은 멸했고 우리는 흩어졌습니다. 물질의 팽배함이 낳은 사고의 저급함은 항상 같은 결과로 이어질 뿐입니다. 격식만이 요란한 옷장의 화려한 옷가지들 틈새로 수수한 성품의 헝겊 쪼가리 하나로는 아무것도 할 수 없었죠. 어머니는 그의 저서에서 그렇게 말했다. 헝겊 쪼가리. 나는 지금 그 쪼가리를 준비하고 실행에 옮긴 이의 누추한 현실을 마주하고 있다. 그의 과거가 그를 휘두르는 것 같았다. 반쯤은 넋이 나간 상태. 선명하고도 덧없는 그림자가 드리워진 구겨진 얼굴. 마치 죽은 자들에게 넘겨진 것처럼 창백하고 준엄해 보이는 자세.

그의 공간에, 사방의 벽을 장식한 푸른 지도 조각 - 한 때, 인간이 푸른 지구라고 부르던 - 과 손바닥만 한, 불투명도가 최고에 달한 창문을 통해 비실거리듯 들어와 흩어지는 빛. 그리고 그를 에워싸고 있는 절망과 좌절. 별안간 나는, 그의 실패가, 아니 오히려 그의 노력 자체에 담긴 일은, 어떤 의미에서도 결과의 심판이나 판단에는 아무런 문제가 되지 않는다는 생각이 들었다. 그래서 나는 이렇게 용기를 내어 말했다.

"하지만 노력하지 않았습니까?"

로비로 통하는 문에 박힌 연속전인 전구들이 푸른 빛에서 붉은빛으로 바뀌었다. 여인이 들어왔다. 그녀는 내게 시선을 주고 고개를 끄덕이고 약간 틀었다.

"박사님의 상태가 그다지 강건하지 않습니다. 잠시 휴식이 필요합니다. 괜찮으시다면…."

나는 그의 상태가 예상보다 훨씬 심각하다는 사실에 적잖이 당황스러웠다. 내가 오기 전 목적에서 나아간 게 아무것도 없다. 박사에게 나의 존재를 각인시키고 나를 평가하고 어떤 면에서 내 존재 이유를 주지하기에 그의 시간은 너무 각박하다. 나는 어쩔 수 없이 그녀를 따라 지나온 복도로 다시 나와 갈림길에서 생소한 복도를 거쳐 작은 공간으로 안내를 받았다. 헬레나가 옆에 앉아, 호기심 어린 둥근 눈으로 나의 첫 말을 애타게 기다렸다.

"박사가 온전한 기억으로 돌아올 때까지 우리는 기다릴 수밖에 없잖아? 그렇지?"

나는 부드럽게 그녀의 머리를 쓰다듬으며 마치 연인에게 속삭이듯 말했다. 보는 관점에서는 육감적이라 할 수 있는 그녀는 내게 고개를 기대며 속삭였다.

"그렇다고 모든 것을 기억에 의존해서는 안 됩니다. 알잖아요. 인간의 기억은 지독한 거짓말쟁이라는 사실을…."

"그래, 그건 그렇지. 나도 그러하니까. 내가 기억된 일과 내 어머니의 공책에 남겨진 같은 일들이 완전히 뒤

집힌 예도 있었으니까."

"정말?"

"그래, 정말이야. 내가 초등학생 때 편의점에서 껌을 훔쳤다고 신고가 들어왔는데 나는 누명을 쓴 거라고 확신하고 있었거든…. 왜냐하면 나는 껌을 좋아하지 않으니까…. 만약 훔쳤다면 피규어 같은 것을 훔쳤겠지만…."

"그런데?"

"그런데 아니었어. 꼼꼼하기 짝이 없는 우리 어머니. 정말이지 섬뜩할 정도로 모든 것을 기록은 남기시는 어머니가 그냥 가만히 있을 리가 없었지. 모든 나의 기록을 낱낱이 살핀 거야. 내가 나간 시간, 돌아온 시간, 골목에 머무른 시간, 편의점 근처를 지나간 시간, 그리고 그 모든 것을 확연히 보여주는 CCTV까지…."

"그래서 결국, 당신이 범인이라는 것을 밝혀냈군요."

"마저. 내 기억에 사라진 3초가 영상에는 남아 있었으니까. 하지만 어머니가 남긴 기록에는 이상한 게 있었어."

"이상하다고요?"

"응, 어머니는 그 영상을 훼손했어. 명백한 증거. 내가 범인이라는 기록에서 나를 지운 거야. 그리고 그날을 아무 일도 일어나지 않은 그저 평범한 하루로 만들어버렸지. 내가 오랜 시간이 지난 뒤, 우연히 어머니의 기록일지를 보지 않았다면 전혀 떠오를 수 없게 만든 거야."

"왜 그랬을까요?"

"알 수 없지. 내가 물어볼 수도 없었고. 어머니의 하루는…. 그야말로 내가 낄 자리가 없었어. 세상의 모든 일을 낱낱이 기록하고 있었으니까."

나는 팡파짐한 그녀의 엉덩이를 만지작만지작했다. 헬레나의 눈에 어린, 삼가는 듯하면서도 은은한 유혹을 전파하는 듯한 미묘한 표정. 그럴 때면 항상 등장하는, 뜻 모를 미소가 옆으로 젖혀진 그녀에게 번졌다. 미치도록 사랑스러운 표현. 그녀는 손목에 박힌 디지털 시간을 확인하고, 안달이 나서 못 견디겠다는 듯, 묻는다.

"언제까지 기다려야 할까요? 밖은 이미 어두워졌을 거예요."

문턱을 넘은 바람이 흩어진다. 마치 자신의 일부가 묻은 것처럼 허한 감정이 들며 하얗게 뿌려지는 안개 속에 갇힌 듯, 멍한 느낌이 든다. 공간의 내부와 내면이 동시에 흐물거리는 얼룩처럼 피어오른다.

"박사님이 좀 더 좋아지기를 기다리는 수밖에…. 알잖아? 우리가 여기 오려고 꽤 고생했다는 거…. 그러니 보상받는다고 생각하고 천천히 기다리자고."

나는 주변으로 시선을 둔다. 우리가 지나온 방이 대여섯 개쯤. 이곳은 천장부터 바닥까지 낙서가 가득하다. 금속 재떨이가 구석에서 뒹굴고 빈 액자들이, 텅 빈 작품들로 요란하고 다양하게 장식을 대신한다. 막막한 인상. 우리가 앉은 소파는, 빨간 벨벳을 댄 채, 딱딱하고 차갑다. 이제 창은 어둡고 빛은 오로지 형광등에서만 흐른다. 헬레나의 향수 냄새가 번진다. 나는 담배를 한 대 붙여 물고 그녀에게도 한 개비 건넨다. 공간을 부유하는 연기. 내 입에서 나온 연기는 흩어졌다 빛에 한데 모이고 선명해졌다가 다시 투명해지면서 흩어지기를 반복했다. 수많은 생각이 삽시간에 지나갔다.

****

등 뒤에서 소리가 났다. 그 여자가 다시 나타났다. 목을 터놓은 투명 블라우스. 창백한 피부와 얇은 담적색 머리칼. 그 머리칼이 막 생성한 콩나물처럼 통통거리며 펄럭였다. 그녀가 내게 가까이 다가왔다. 푸르스름한 기운이 도는 투명한 눈. 마치 종말 이전의 티 없이 맑은 하늘을 박아 놓은 듯 눈부시다. 이제 얼굴 피부 안쪽 푸르스름한 핏줄까지 선명하게 보일 정도가 되었다.

나의 모든 신경이 그녀의 입으로 쏠렸다. 마치 그녀의 입술 움직임 외에는 아무것도 인지할 수 없는 것처럼 신경이 쓰였다. 그녀의 모션은 여전히 초기 버전의 발작에서 벗어나지 못했다. 전형적인 기계. 굼뜨고 급작스러운 동작과 소모적인 균형 조절이 덩달아 이어지는 사이 그녀는 자신의 의무 외에는 어떤 낭만도 생각할 수 없는 경쟁사회의 조각 인간들과 흡사했다. 의지와 통제를 제대로 구분 못 하는 슬픈 족속들. 내가 보기에 그녀는 오랫동안, 박사님처럼 잠들어있다가 깨어나 각 관절의 기능을 다시 익혀야 하는 일종의 분절 동작을 학습하는 과정처럼 느꼈다. 그러니 유연성과 자연스러움을 배어나올 수 없었다. 괴뢰 줄 없이 걸을 수 없는 꼭두각시. 전형적인 아포칼립스 이전의 인간과 흡사하다.

"죄송합니다. 많이 기다리게 해서. 박사님의 상태가 좋은 편은 아니지만, 그분의 뜻에 따라 다시 모시겠습니다. 저를 따라오시겠습니까?"

나는 헬레나를 남겨 두고 그녀의 뒤를 따랐다. 엉성한 걸음만큼 바싹 마른 그녀의 등이 마치 모든 침묵을 명하는 것처럼 단호하게 느껴졌다. 나는 주변을 유심히 살피면서 나아갔다. 우리는 다른 공간으로 들어갔다.

"이해하시기 바랍니다. 이 모든 것은 안전 때문에."

그래. 그럴 수밖에 없다. 지구를 벗어나 태양계마저 접수한 그놈에게 남은 유일한 상흔은 이제 <사피엔티아> 뿐이다. 그러니….

박사는 투명 반구에 갇힌 듯한 모습으로 나를 반겼다. 눈동자의 초점은 사방으로 흩어지고 눈길은 그저 흐리멍덩하게 피사체를 접하고 있었다.

"죄송합니다. 이해하세요. 회복 장비를 벗기에는 아직

상태가 좋지 않습니다. 정신도 맑은 편이 아니고요."

그의 말은 힘을 잃고 공간으로 나오자마자 흩어지고 옅어지다 사라져버리는 듯하였다.

"오히려 제가 죄송합니다. 박사님을 힘들게만 하고 있으니까요. 육체적으로 또, 정신적으로도"

"아닙니다. 저를 힘들게 하는 수백만 가지 중에 당신은 유일한 희망일 뿐입니다. 그런 말 마시기를 바랍니다. 당신이 저를 낫게 할 수 있다는 뜻입니다."

"그렇게 편애해주시다니…. 고맙습니다."

"아무튼, 우리가 어디까지 얘기했던가요? 기억이, 뜻 모를 소리와 혼란의 무더기, 고통의 웅덩이로 가득한 이 늙은이를 용서하세요."

"결국, 일어날 일은 일어나고 말았다고."

"아, 그렇군요. 맞습니다. 우리가 나눈 대화…."

그는 잠시 허공을 바라보며 눈을 깜빡였다.

"제가 태어난 그해, 그러니까. 맞아요. 그때 태어난 최초의 컴퓨터…. 혹시 아시나요? 방 하나를 가득 채우는 크기의 최초의 컴퓨터 콜로서스"

"네. 사진으로 본 적은 있습니다."

"저는 내력 있는 보스턴 가문에서 태어난…. 비록 우리 집안 전체에서 맨 끄트머리였지만 금수저를 입에 물고 태어난 것은 분명한 사실이었어요. 물론 우리 집안은 대전쟁과 함께 완전히 끝장났지만 말입니다. 아무튼 내가 원하는 모든 종류의 컴퓨터가 내 방에 가득했었어요. 그러니 컴퓨터 신동으로 이름을 알리는 것은 어쩌면 자연스러운 일이었겠죠. MIT, 고골 그리고 창업. 딥블루. 딥러닝과 인공신경망의 합체. 그런데 아이러니하지 않아요? 내 작품이 지금 나를 죽이러 닭달처럼 달려들고 있으니까요. 어떤 역사학자는 그러더군요. 나의 탄생이 곧 종말의 시작이었다고. 하지만 세상에 나 같은 인간은 세고 셌어요. 어차피 일어날 일이라는 거죠. 맞지 않아요? 이르건 늦건 어차피 인공지능은 탄생했을 것이고 그것으로 인한 인류의 종말도 예정된 거였죠. 도태. 궤멸. 맞아요. 당신 어머니가 발굴한 그 예언서에 나와 있는 호모 사피엔스의 운명은 그런 거였어요. 물론 릴 리가 나를 찾아온 그 날은 잊을 수가 없어요. 비쩍 마르고 호리호리한 여인이 아주 커다란 눈을 껌뻑이며, 오만하고 방자하기 이를 데 없는 나를 만나려고 2만 km를 달려왔었어요. 마치 지금 당신처럼. 그때가 언제였죠? 맞아요. 나의 작품이 세상을 흔들어 놓을 때였으니까요. 장밋빛 희망에 들뜬 저에게 드리민 그녀의 낡은 책은 저를 놀라 자빠지게 했어요. 그 예언서의 첫 문장이 뭐였죠?”

“죽는다는 것은 누구에게나 좋은 일이다.”

“2,000년 전에 기록된 문서에 프롭기, 제트기, F-29

스텔스기가 자세히 묘사되어 있고 동맹국 때문에 쓸데없는 전쟁에 끌려 들어가는 연루와 방기의 딜레마가 적혀있다면 당신은 믿겠어요? 미-중 패권 경쟁, 러시아의 우크라이나 침공, 세계의 화약고 중동. 그리고 바티칸, 메카, 예루살렘, 룸비니가 갈등의 중심으로 등장한다면? 생태계의 총체적 붕괴, 핵겨울로 인한 농업 상실, 방사선 피폭으로 인한 돌연변이를 예언했다면? 그리고 세계 정부와 같은 통합 정부의 등장, 종말 후의 갈등. 그리고 지구 최초의 지적 문명의 몰락. 그 무엇하나 빗나가지 않았어요. 무엇하나 허투루 쓰인 게 없었다는 뜻입니다. 하지만 더욱 놀라운 것은 그다음부터였습니다. 그래요. 그 정도였다면 아주 영민한 점쟁이라고 억지로 쏘아붙이고 애써 모른 척할 수도 있었단 말입니다. 하지만…. 그 기록에는 나의 미래가 담겨있었어요."

"박사님 개인의 미래였나요?"

"그런, 셈이죠. 내가 하려던 것들…. 초 정보집합체 주노를 둘러싼 실험 말입니다. 도저히 믿을 수 없었어요.

바로 내 옆에 누군가 지켜봐도 모를 것들이…. 버젓이 고문서에 등장하고 있으니까요. 여래신장. 맞아요. 바로 그거였어요. 부처님 손바닥에 있는 손오공 말입니다. 그러니 시간의 경과와 함께 이후에 등장하는 모든 사건은 그저 예언서를 확인하는 절차일 뿐이었습니다. 초거대 병기 티타노마키나의 등장, 황폐해진 지구에 CODA, 수인 종족이 나타난 방사능 지구대. 자원이 모조리 말라붙은, 오염된 대륙, 중국 MEC와 미국 유럽연합과 벌인 전멸 전쟁, 붕괴액 오염사태로 번진 범지구적 대재앙, 살인 로봇의 폭발적 증가, 대량의 헬륨-3 시설물 등등. 그 결과의 디스토피아, 극단주의의 팽창. 3대륙 합중국 - 유라시아, 오세아니아, 동아시아 - 등장. 그러므로 모든 것은 하나로 귀결되었죠. 자업자득. 우리가 우리를 그렇게 만들었습니다."

4. 캔터베리 이야기

낡은 숙소로 돌아온 나는 가상 자연을 사방에 펼쳤다. 산들바람이 일고 바람결 속에 헬레나가 춤을 춘다. 내 온 주위가 평화롭고 차분하다. 헬레나의 노래는 자정까지 이어졌다. 그리고 찾아온 정적. 모든 게 일순간에 멈추고 사라졌다. 어린 시절 전체가 어둠 속에서, 세상과 격리된 채, 창문 이곳저곳, 사방팔방, 가로질러 막은 끔찍하고 흉물스러운 금속 널빤지들, 이따금 뜨거운 열기와 굉음으로 바깥은 흔들리고 모든 인간의 접촉이 단절된 후의 세상과 아주 흡사한 순간. 한마디의 물음도 무너지고 말 것 같은 악몽. 손 쓸 수 없이 번지는 좌절. 두통이 이는 데다 피로감으로 몸이 쑤셨다.

"보안 등급 G이에요."

헬레나가 개미 소리로 속삭였다. 붉은 경고등 하나만 살았다. 모든 게 끊기고 난 뒤인 지금에서야 나는, 우리가 폐허의 빌딩, 그 속의 어둠에 누워있다는 사실을 억지로 끄집어냈다. 나의 머릿속이 회연과 목마름으로 윙윙거리며 쥐어짜고 있었다. 떠오른 생각이 빛의 속도로 떨어져 나간다. 헬레나의 입술에 키스하고 다정하게 눈빛을 교환하면서 넌지시 나의 혼란을 일렀다. 가련하고도 느릿느릿한 동작으로 그녀의 몰캉한 가슴에 파고들고 하나하나의 몸동작, 그녀의 아름다움에 물드는 즐거움, 단계마다 엉거주춤하며 마치 뭔가를 으깨듯이 당겼다가 넘어질 듯 그녀에게 파고드는, 찌릿찌릿한 고통의 송곳 날을 단속적으로 피하려 나이 든 세포에 종용하는, 신호는 끙끙거리기, 코로 킁킁거리기, 혀로 날름거리기, 피부로 마찰하기로 이어지며 생소한 소리를 공간에 퍼트린다. 어디를 봐도 예전의 의기양양한 표정을 존재하지 않는다. 거리낌 없이 활짝 웃지도 못하고 그저 그녀의 두 다리 사이에서 뒤틀고 엇갈리기를 번갈아 한다. 달아오르는 흥분과 냉혹한 심연이 서로를 짚어가며 끌어당기고 있다.

  그 순간, 박사의 뒷모습이 부스스 떠올랐다. 축 널어진 어깨. 자기 혐오감이 번졌다. 어머니의 기록에는 분명 반대였다. 총기와 의욕, 충만감으로 넘치던 그. 그의 뒷모습을 좇아 흐르던 그 끌림을, 어머니는 이렇게 표현했다.

'그가 신랄한 어조로 되받았다. 그리고 거부했다. 하지만 나는 안다. 그는 그저 두려울 뿐이었다. 그에게 부과된, 지나치게 무거운 짐. 나는 그 짐을 나눠 갖고 싶었다. 그게 사랑이던, 단순한 끌림이던….'

흔들림 없이 도도한 자세를 보이려면 어떻게 해야 할지 궁리라도 하는 듯, 오묘한 자세를 한 헬레나가 잠시 뜸을 들인 뒤 물었다.

"왜 박사님에게 종잇조각을 전달하지 않았나요? 예언서의 마지막 장. 원래 그것 때문에 만나러 간 게 아니었나요?"

어두운 방의 마룻바닥. 헬레나는 강박적으로 깔끔하게 청소했다. 긴장이 어느 정도 가신 모양이다. 나는 양손으로 그녀의 팔을 움켜쥐고, 어깨를 으쓱하며 말했다. 내 눈앞으로 스쳐 간 일들이 스크린처럼 펼쳐지며 떠오른다.

"도저히 줄 수가 없었어. 어쩌면 어머니의 뜻이기도 해. 마지막 장을 찢어버린 이유. 뭔가 있었다고 생각했는데…. 박사님을 만나는 순간 알 수 있었지. 연약해 보이지만 그는 그렇지 않았어."

"그래서 느닷없이 캔터베리 이야기 첫 문장으로 대체하신 건가요?"

4월의 달콤한 소나기가
3월의 메마른 뿌리까지 뚫고 들어가
줄기마다 물기로 촉촉하게 적셔
그 힘으로 꽃이 피어나던 때였습니다.

"그래, 그냥 그분에게 희망을 주고 싶었어. 그를 이해할 수 있게 된 어떤 자각 같은 거…. 은연중에 어떤 기대를 얻고자 하는 집착 같은 거…. 더 이상 과거에 잡혀서…. 세상과 자신과의 면책 관계 같은 거 있잖아…. 그래야 할 것 같았거든…. 거짓이지만 진실일 수 있잖아.

거짓말이 상책이라고 판단할 때도 있는 거잖아? 예언서의 마지막 장이 사라졌으니 우리는 모르는 거야. 우리가 아무리 사악하고 비천하고 냉혹하고 이기적이고 편협하고 조악하더라도…. 그래도 모르잖아. 어쩌면 한 가닥일지 모르지만 그래도 이 세상에 태어난 정당한 이유가 숨어 있을지…."

"하지만 당신은 진작부터 알고 있잖아요."

그녀가 던진 말의 이중적 의미. 헬레나의 연푸른색 눈이 흔들린다. 그녀는 어머니를 닮았다. 늘 마음에 알알이 박히는 구석. 나는 어머니가 남긴 방대한 유산 - 철학, 종교, 역사 -속에 잠겨있다. 성공 가도를 달리던 학문적 경력은 애초에 아낌없이 버렸다. 괴짜와 몽상가, 미치광이라고 헐뜯던 그들. 하지만 그녀는 아무것도 개의치 않았다. 유창한 히브리어 문서가 사방을 채운다. 매일 그녀의 조각을 조금씩 접하며 해석과 판단은 나의 어리석음으로써 유보로 이어지고 그 결과로 해야만 하는 행위, 혹은 하지 말아야 하는 행동에 대한 결론을 그다지 쉽

게 내리지 못하는 혼란 속으로 담긴 채 살아간다. 즉, 늘 어머니의 비밀을 듣지만 입을 봉하는데도 이력이 나 있다.

부서진 잔해 위로 햇살이 오른다. 꿰맞춘 듯, 듬성듬성 쌓아 올린 담벼락. 나는 천천히 들여다본다. 저곳은 예전 79번가와 에르뉴 모퉁이였다. 그곳에 밝음과 희망이 아직도 서려 있을지도 모르는 일이다. 설령 고통을 받거나 학대를 받았을지언정. 하멜른시의 피리 부는 사나이로 살아가는 것도 나쁘지는 않다고, 그 순간, 생각이 들었다. 나는 그것을 일어서기 위한 신호로 삼았다. 나는 그녀를 팔 길이만큼 떼고 말했다.

"헬레나. 우리 아베롱으로 가자!"

"그곳은 왜요? 모든 게 폐허투성이잖아요. 아무도 손 써 볼 도리가 없는 땅인데? 그저 언덕 위 성하나만 덩 그러니 남아 있을 뿐일 텐데…. 얘기하기가 뭐하지만 말 입니다."

나는 무슨 말을 덧붙일 것인지, 혹은 변명할 것인지, 어떻게 묘사할 것인지, 혹은 어떻게 설득할 것인지에 대해 알 수가 없어서 그냥 잠시 그대로 서 있었다. 그러자 지나간 길이 밝게 빛났다. 뜻밖의 방문이, 나에게 즐길 겨를도 없이 흘러내렸다.

어머니는 그곳의 길, 숲, 하늘과 강, 나무와 돌 하나까지 자세하게 묘사했다. 그리고 나를 잉태했다. 박사님을 숨긴 곳. 예언서의 마지막은 파멸이었지만 그 이면에 담긴 것은 출발이었다. 우리의 잘못은 이제 셈을 치렀으니까. 이제 다리를 펴고 당당하게 걸어도 괜찮은 거잖아. 새로운 세계. 물질보다 정신, 과학보다 철학, 풍요보다 소박함, 탐욕보다 나눔이 존경받는 세상.

그리고 나는 알고 있다. 박사님이 다시 잠든 <사피엔티아>의 형제들을 깨우리라는 것을…. 그리고 나는 그를 도울 것이다. 끈기 있고 세심하게 그를 보살필 것이다. 어머니가 유일하게 사랑했던 사람, 내 아버지니까.

나는 양손으로 헬레나의 볼을 잡고 입을 맞추었다.

<1권. 끝>

비트겐슈타인의 유서

1. 죽음

높은 언덕의 아파트. 복도는 따스했다. 나는 창에 비친 도시를 봤다. 흔적뿐인 바람. 어스름한 달빛과 흐릿한 가로수. 미세하고도 온전한 빛들의 떨림. 거리를 장식하는 수많은 가게. 상점에 촘촘하게 새겨진 명품. 응결된 갈망이 해동을 외친다. 도시는 불안에 잠겨있다. 자산의 크기로 나뉜 그들의 공간에 인간이 박혀있다. 배분의 한계가 곧 세계의 한계. 욕망의 큰 뭉치가 떠다닌다. 인간. 정신. 물질. 한없이 빈곤한 하루. 답답한 가슴이 알 수 없는 불안으로 물든다.

사건 현장에 발을 디디면 늘 이렇듯 불안감이 도착한다. 속절없이 고통 속으로 끌려들어 간다.

'젠장 25년이 되었는데도 아직 낯설다니!'

이불 속에 누운 채, 그는 뻗대고 있다. 단 하나의 느낌이 모든 것을 덮는다. 무상. 징그럽게 길고 이상하게 흐릿한 햇빛이 투과한 정적의 방은, 네모난 공간의 안정감을 갖추기에 너무 많은 장식이 깃들어있다. 조명은 어둡고 눅눅하며 침울하고 벌겋다. 그림자가 가득한 공간. 나는 세움대가 비추는, 바닥에 난 검은 핏자국이 주는 장식에 묘한 끌림을 느꼈다. 그 이유는, 이것이 의도하지 않았겠지만, 부산한 집안을 안정시켰다. 코끝이 살짝 비리다.

액자가 사방에 흩어졌다. 조각난 빛들이 시리다. 내 앞에 흐드러지게 펼쳐진 갈등. 흐리고 멍한 여인이 웅크리거나 환한 미소의 흑인 청년이 벽에 처박혀 있다. 통속적인 사진. 액자를 장식한 소품은 더럽다. 아트라고 인쇄된 액자는 그 속이 텅 빈 채 천장만 멍하니 주시하고 있다. 벽시계의 끝이 둥근 초침은 오전 오후로 나누어진 일상에 못마땅한 듯 투박하게 투덜거렸다. 나는 휴대폰을 들여다봤다. 당연하게도 시간이 맞지 않았다. 나는 아날로그와 디지털의 차이에 늘 혼란을 겪었다. 왜냐하면 나의 시간은 지나치게 정확하고 나 외의 시간은 심하게 느긋했다.

식물이 소파 옆에 놓여있다. 오후의 검은 햇살 아래

속살이 드러난 꽃술. 불쌍하기 짝이 없게 적은 일사량. 주인의 무관심이 주는 몇 방울의 물로 의식을 진정하고 싹을 틔우고 꽃을 벌려 삭막한 사막으로 변형됨을 몸으로 막아서는 고통. 나는 죽은 가지를 톡톡 튕겼다. 공간을 부유하는 빛 속의 먼지. 마스크 속 입김이 뜨겁다.

'죽은 이는 어떤 종류의 인간인가?'

그는 말할 수 없기에 침묵한다. 그리고 내가 하는 일은 그에게 질문을 던지는 것이다. 이마에 박힌 총구멍. 도취한 듯한 눈동자. 옅은 분홍빛 코끝. 나는 그의 이야기를 줍기 위해 애를 쓴다. 굴뚝처럼 솟아오르는 의문.

'당신은 누군가에게 죽임을 당할 만큼 일그러져 있었나? 혹은 강렬하고 지배적으로 누군가를 괴롭혔나? 혹은 자신을?'

벽난로. 내가 못마땅해하는 소품. 자리만 차지하고 볼품없고 그을음을 생성해 기관지를 괴롭히고 따스함이라는 정신에 도움이 되지 않는 안락함을 선사하고 묘한 뒤틀림으로 섹스 장면을 미화하는 물건. 온전한 작품 하나가 그의 발치에 널브러져 있다. 조각품은 더없이 하얗고 빨갛고 노랗고 푸르다. 사소한 것들의 종합.

나는 그가 남긴 종잇조각을 쳐다본다. 볼품없는 종잇장 하나. 정성은 보이지 않는다.

'이것은 유서인가?'

2. 사랑하는 이에게

기차가 바엔 역에 막 도착했을 때, 나는 형의 자살 소식을 전해 들었다. 이로써 나의 형제 다섯은 모두 스스로 생을 마감했다. 문틈으로 세찬 바람이 추억을 몰아간다. 조각조각의 아픔.

　기자가 내게 내민 첫 질문은 그다지 신경 쓰지 않는 부분이었다. 분노가 떨어진다. 애써보아도 소용없다. 속수무책.

　"유럽 최대 에너지 기업의 유일한 상속자가 되셨는데, 기분이 어떠신가요?"

　"당신을 구더기가 득실한 똥통에 집어넣고 싶군요."

　"미안합니다. 루트비히. 저는 그저 독자들의 요구에 충실한 것뿐입니다. 저를 너무 속물적인 인간으로 보시지 말기 바랍니다."

　"저는 지금 노력 중입니다. 세상과 소통하는 것도 이

해하려고 합니다. 단지 제게는 보다 궁금한 것에 대한 집중의 시간이 필요할 뿐입니다."

나는 그들의 시선을 피해 다음 칸, 침실로 들어갔다. 역장은 나를 이해했다. 그는 나를 지키는 유일한 방법이 이것뿐이라는 것을 알았으므로 흔쾌히 나의 청을 들어주었다. 어떤 여인이 자고 있다. 나는 그녀의 맞은편에 누웠다. 그리고 잠시 형을 생각하다 곧 잠들었다.

내가 향기라고 부르던 것이 마냥 즐겁게 느껴지지 않던 순간에 고개를 든 것은 늦은 오후였다. 너머에 여인은 누빈 이불을 돌돌 말아 고개를 처박고 있다. 불편함이 나를 자극한다. 나는 애써 창밖으로 시선을 돌렸다. 창턱에 손을 괴었다. 쓸쓸한 바람이 지상의 숲들을 매만지며 흩어졌다. 역장이 들어와 형의 장례식 절차가 적힌 쪽지를 건넸다.

"참석하실 건가요? 아니, 당연히 참석하겠죠?"

나는 역장을 올려다보며 고개를 끄덕였다.

"그럼 하르겐역에서 하차하여 자동차로 이동하시기를 추천합니다. 왜냐하면 지나치게 많은 기자가 당신을 기다리고 있습니다."

내가 고개를 끄덕이는 사이, 큰 헤드폰을 낀 젊은이가 불쑥 들어왔다. 덜컥이는 리듬에 따라 노랫소리가 흘러넘쳤다. 그는 콩고네 길거리에 판매할 듯한 지저분한 티셔츠에 코를 문지르고 얇은 입술을 달싹이며 소음 속에 숨어들었다. 역장은 어깨를 한번 들썩이고는 가버렸다. 여인이 눈을 뜨고 나와 마주쳤다.

"비트겐슈타인 박사님이시군요."

"저를 아세요?"

"당연하죠. 이 나라 사람치고 당신을 모를 수가 있나요? 어디를 가던 당신 이야기뿐인걸요."

핸드폰 알람이 울렸다. 나는 약간의 떨림을 안고 화면을 들여다봤다. 그녀를 만나기 전, 꼭 한번 다시 읽고 싶었다.

"당신이 오고 있다는 것을 알 수 있어요. 왠지 아세요?"

"어떻게 그걸 알겠어요?"

"나는 느껴요. 가까이에 온 것을. 물론 그냥 농담이에요. 하지만 정말 그런 착각도 하곤 한답니다. 정말이에요."

"당신이 기분이 좋다는 뜻인가요?"

"물론이죠. 당신을 만나는 게 좋잖아요. 그렇지 않나요?"

"네. 저도 좋습니다. 다만 차가 없다는 게…. 그래서 결국 비교적 짧은 거리를 세 번이나 기차를 갈아타는 게 좀 아쉬울 뿐입니다."

"괜찮아요. 아직 많은 시간이 우리 앞에 놓여있으니까요."

"그건 그렇습니다. 당신은 저보다 무척 젊으니까요."

"아, 그런 뜻은 아니에요. 그냥 오늘 하루에 오전도 많이 남았다는 뜻이에요."

"네. 알고 있습니다. 그냥 해 본 소리예요. 저는 늘 실없는 말을 하죠. 오래전부터 그냥 터진 입이라고 아무거나 말하곤 하죠. 그러니 그런 농담도 생기는 겁니다."

"괜찮아요. 다 이해해요. 당신이 그저 제 주위로 온다는 것만 생각하니깐요. 그냥 들떠서 그런 것 같기도 해요."

"무슨 말인지 알아요. 저도 무척 오랜만에 일찍 일어났으니까요. 물론 회사에 휴가를 내 어제부터 제가 느끼는 감정은 뭐랄까…. 이상한 기대감이랄까…. 소박한 즐거움이랄까…. 아무튼 냉정해지기가 힘들 정도도 오후의 만남이 기다려지거든요."

"맞아요. 우리는 처음이지만 마치 오랜 친구처럼 모든 것을 알고 있잖아요."

"하하하. 정말 좋은 하루네요. 당신을 만진 적도 없는데 당신의 모든 것을 알고 있다는 사실 말이에요."

"그건, 떨림이라고 해도 될 것 같아요."

"네. 긴장이고 희망이고 기대죠. 어쩔 수 없는 걱정이고도 하고요. 지금 저는 당신이 보내준 오래된 사진을 기쁨으로 보고 있어요."

"오래된 사진? 아! 그 사진. 잠시만요."

나는 그녀에게 보낸 사진을 휴대폰에 꽉 채운다.

"23년이나 지난 일이죠. 그러니 오래된 일이 당연합니다. 나는 겨우 스물여덟이었으니까요. 그때 말입니다. 정말이지 풋풋함과 싱그러움이 느껴지는 모습 아닙니까? 이거 한번 보세요. 지금은 누가 줘도 절대 사용하지 않을 검고 크고 우스꽝스러운 안경을 쓰고 있잖아요. 하지만 저 때만 해도 저건 유행이었어요. 저 때 찍은 영화를 보면 알 수 있잖아요. 멋진 주인공들이 어떤 안경을 끼고 다녔는지. 저는 마치 그 시절의 주인공처럼 쫙 빼 입고 다니길 좋아했거든요. 물론 저도 저 자신을 잘 알고 있었어요. 키도 작고 생김새는 평범하기 짝이 없으며 근육도 그다지 없었죠. 누가 봐도 샌님이잖아요. 저기 저 심문받고 있는 저의 모습을 보세요. 얼마나 초라하고 왜소하고 혼란스러운 모습인지. 물론 이제 막 성인이 되었으니 그럴 만도 했죠. 다들 그렇잖아요. 저 시절은 아무것도 정립된 것이 없이 그냥 시간이 흐름 속에 자신의 의지와 뜻이 뭔지도 모를 이상하고 구부정한 길로 아무 생각 없이 다가가 그냥 길을 잃고 헤매곤 하잖아요. 제가 딱 그랬죠. 그래서 지금 이 모양 이 꼴이 된 거지만 말입니다."

"그럼 후회하는 건가요?"

"후회요? 물론 당연히 무척 오랫동안 후회했죠. 사실 한순간이라도 그날을 후회하지 않은 적은 없었죠. 제 인생의 가장 눈부신 젊음을 송두리째 뺏긴 거잖아요. 너무 후회스럽죠. 하지만 어떡하겠습니까? 이제 다 지난 일이고 시간 속에서 모든 상처에 딱지가 생겼고 그 딱지를 떼기를 수십 번도 더 한 뒤의 세월이 지났으니깐요. 하지만 정말 바보 같았어요. 내가 생각해도 너무너무 바보 멍청이 같았어요. 내가 사랑이라고 착각한 것을 나는 순진하게 믿고 그녀가 준 독 사과를 그냥 덥석 받아먹은 거예요. 그거에요. 마녀에게 완전히 놀아난 거죠. 절대 그러지 말았어야 했는데 그땐 몰랐어요. 세상을 너무 몰랐던 거죠. 인간이라는 동물이 어떤 것이라는 것을 정말이지 몰랐던 겁니다."

"그날의 진실이 더욱 궁금해지는군요. 행여 당신 맘 내릴까 봐 그동안 선뜻 물어볼 수는 없었어요."

"그날의 진실요? 네. 알아요. 그날의 진실을 다들 궁금해하죠. 그리고 사실 당신은 제 입에서 그날 무슨 일이 있었는지에 대한 어떤 극적인 고백을 기대한다는 것도 알고 있어요. 그렇겠죠. 당연히 그러리라 생각합니다. 그날의 진실은 현재까지 그녀와 나, 그리고 하느님밖에 모르겠죠."

"당신은 무신론자가 아니었어요?"

"네. 맞아요. 무신론자입니다. 신을 믿지 않아요. 하지만 그때는 믿는 척했죠. 나의 이야기를 심각하게 들어줄 이들이 필요했으니까요. 아시잖아요. 저는 갇힌 그 날부터 지금까지 줄곧 나의 결백을 주장하며 일관된 목소리를 냈다는 사실을요. 나를 도울 수 있는 모든 영향력 있

는 이들을 찾아 요청했죠. 기독교 알림 연합회도 그렇게
해서 알게 된 거고요."

"알겠어요. 아무튼 기다리고 있어요. 제발 빨리 기차가
달리기를 바랄게요. 그럼 이만⋯."

"네. 사랑해요!"

"저도요. 정말 많이 사랑해요. 저의 모든 것을 다 본
당신에게. 하하하"

"네. 그럼 조금 뒤에."

웃음이 창에 걸리고 뒤편에 차장이 내게 다가온다. 나
는 얼른 휴대폰에서 티켓을 찾아 내보인다. 끼익하는 인
정. 옆 할머니는 시큰둥하게 질문을 던진다.

"이봐! 도대체 왜 이리 연착이 잘 되는 거야? 이놈의
기차는."

"할머니. 저도 모르겠어요. 그런 곤란한 질문에 대한 답을 저는 갖고 있지 않습니다. 죄송해요."

"아, 당신이 모르면 누가 안다는 거야?"

"컴퓨터가 알겠죠. 무슨 일인지. 다만 그놈의 시스템이 우리에게는 명령만 해요. 기다려! 기다려!"

나는 그들을 지켜보며 한마디 거든다.

"바야흐로 인공지능 시대니까요."

모두 8개의 시선이 날 쳐다보고 두 개의 눈동자가 때를 놓치지 않고 끼어든다.

"맞아요. 우린 시킨 데로 해야 해요. 그렇지 않으면 모두 골로 가는 거죠."

"무슨 말이야? 도대체 어떤 놈이야 그놈이?"

"그런 게 있어요. 할머니. 그냥 모르는 게 약이에요."

차장은 큰 머리를 흔든다. 바람이 문틈을 타고 햇살은 걸터앉은 의자를 싹 문지르며 지나간다.

"하르겐역에는 곧 도착인가요?"

나의 질문에 차장은 천장을 한번 보더니 천천히 고개를 끄덕인다.

"아마, 준비하셔야 할 거예요. 연착이 심해 매우 빨리 지나갈 수 있으니까요."

나는 그의 경고에 따라 짐을 싼다. 비닐을 버리고 음료수 캔을 비우고 시린 이빨에 껌을 집어넣는다. 차장이 지나간 자리로 쏜살같이 어린이 하나가 지나간다. 나는 여자를 생각하고 짐을 마무리하고 문을 점검하고 바깥의 햇살을 처다보고 심호흡을 한번 해 본다.

밖으로 나왔다. 바람이 분다. 그리고 보슬비가 내린다. 텅 빈 풍경 속에 나무가 젖었다. 도시가 한눈에 들어온다. 헛된 욕망덩어리.

2044년의 쓸쓸한 하루, 어두운 구름이 하늘을 가린다.

브로츠와프, 사랑

제니아의 순수한 향이 가득하다. 마음속에 닿아 녹아내린다. 도시는 어두워지고 신비롭고, 거리는 차들이 늘었다. 중심가로 향하는 게 분명하다. 다양한 불빛이 창에 스며든다. 그녀의 볼은 연한 분홍빛이고, 투명한 푸른 눈동자는 밖을 응시한다. 행복하다. 서늘한 공기가 스며든다. 그녀의 갈색 머릿결이 가볍게 흔들린다. 안개 같은 비가 소리 없이 시원하게 흩날린다. 퍼져가는 찬란한 도시의 조명. 나는 그녀에게 줄곧 품어온 풍요로운 연정을 들킬까 봐 조심스레 무표정으로 바꾸려 노력한다. 그녀를 잡은 손에 끈적한 땀이 사랑스럽게 밴다. 투박하고 다소 딱딱한 느낌이지만 끊임없이 꼼지락거리는 그녀의 손가락 느낌이, 좋기만 하다.

차가 신호등에 멈추고 택시 운전사가 뒤를 돌아본다. 풍성한 구레나룻과 자잘한 눈가 주름이 그를 선량한 시민으로 자유롭게 표현한다. 그가 낮은 목소리로 질문한다. 우아한 그림자를 품은 신비로움과 같다. 제니아의 답변이 곧바로 이어진다. 그녀는 나를 쳐다보며 미소를 머금고 동시에 빠르게 대화를 이어간다. 마법처럼. 차가 다시 움직일 때 나는 궁금함을 이기지 못하고 말았다.

"뭐래?"

"당신이 남편인지 물었어요."

그녀의 얼굴에 장난기가 뱄다. 따스한 마젠타색 입술이 합죽해졌다.

"그래서 뭐라고 답한 거야?"

나는 잡은 손을 꼭 쥐며 물었다. 이쁨이 물결친다.

"그냥, 뭐, 사실대로 말했어요. 직장동료인데 오늘 첫 데이트를 한다고요."

청순함, 포근함, 감동적임, 달콤함이 섞여 올라온다.

"그러니까 뭐래?"

나는 그녀를 당긴다. 제니아는 살포시 반항을 이어가다 안기며 눈을 흘긴다.

"혹시…. 호텔 갈 일이 생기면 자기를 다시 불러 달래요."

"그래서?"

심쿵. 설렘. 두근거림. 이거 외에 달리 표현할 방법이 없다.

'도대체 뭐라 표현해야 하나?'

"뭐가 그래서예요?"

"그래서 어떻게 대답했냐고? 제니아."

나는 그녀의 귓불에 입김을 불어 넣듯이 속삭였다.

"무슨 답을 바라는 거죠? 토마스. 오늘이 우리 첫 데이트란 말이에요."

애정과 질책을 담은 그녀의 목소리. 나는 열정과 애틋함 속에서 떨고 있다.

자동차는 구도시의 입구로 접어든다. 타닥타닥. 바퀴가 도로와 마주치는 소리가 난다. 제니아는 스치듯 나를 보고, 나의 눈길은 박자와 어우러져 흔들린다. 그녀에 대한 간절한 갈망이 속을 후벼판다. 구시가지의 풍경은 마치 작은, 과거의 중세 그림자들이 일렬로 서서 서성거리는 듯하다. 건물들은 군데군데 환향하는 불빛에 의해 강조되고, 길가에는 작은 상점들이 서로 다른 모습으로 떠 있다. 이 모든 것이 마치 이야기의 한 페이지에서, 그녀에 대해 끌림과 어우러져, 흐르는 듯한 아름다움을 뽐내고 있다. 택시 안에서, 나는 제니아와 함께 브로츠와프의 밤을 담담하게 품는다. 도시의 소리와 푸근한 공기가 우리 주변을 감싸는 그 순간을 묘사하고 우리의 여정이 이제 막 시작함을 느낀다.

"하지만 제니아, 우리는 내일 같이 휴가를 냈잖아."

나는 그녀를 당긴다. 도심을 돌담으로 둘러싼 오래된 건물이 석조 장식물을 품고 천천히 지나간다. 성벽과 성문, 돌다리와 골목, 성당과 광장, 돌단과 아치, 다층 건물, 다양한 돌기둥이 소나무와 함께 우리를 굽어본다. 거리는 마치 화가의 풍경화처럼 아름답다.

"물론, 저도 같이 있고 싶어요. 하지만 기숙사에 나타나지 않으면 사람들이 수군거릴 게 뻔해요. 알잖아요. 말 많고 질투 가득한 계집년들."

"상관없잖아. 어차피 알게 될 텐데 뭘. 이제 숨어서 키스하는 것 정도는 안 해도 되는 시점이잖아? 쉐프도 우리 사이는 이미 알고 있고…."

"그거야 물론 그렇죠. 우리 주변 사람들이야 알아도

상관없죠. 맞아요. 토마스. 하지만 사장이 문제잖아요. 변덕스럽고 고약하기 그지없는 할머니 사장 말이에요. 그녀가 알면 저는 틀림없이 그 자리에서 쫓겨날 거예요."

"사장이 어떻게 알겠어? 일주일에 한두 번 고개만 한 번 살짝 내밀고는 금방 사라지는 인물인데⋯. 심술궂지만 무관심하잖아."

"오, 토마스. 당신은 아무것도 모르는군요. 여자는 그렇지 않아요. 모두 당신을 좋아한단 말이에요. 우리 사이가 탄로 나면 틀림없이 질투에 사로잡힌 누군가가 사장에게 밀고하고 말 거예요."

****

그녀의 옷과 머리에 반짝이는 작은 장식들이 도시의 빛에 반사된다. 또닥또닥. 걷는 소리가 거리에 울려 퍼진다. 마치 우리 둘만이 이 아름다운 도시의 중심에 서 있는 듯한 착각이 든다. 갈림길에는 고요한 분위기를 품은,

빛바랜 벽돌로 이루어진 건물이 막아선다. 어딘가에서 들려오는 음악 소리와 함께 우리의 걸음은 느려지고 시간은 흐르지 않는다. 자신만의 공간과 시간. 우리는 잠시 머뭇거리다 같은 곳은 본다. 향기로운 카페의 냄새와 감각적인 레스토랑의 조명에 이끌린다. 그곳은 마치 이야기를 품은 공간처럼 보인다.

 복도로 들어서자 양옆으로 작은 갤러리가 펼쳐진다. 호안 미로의 모조품이 장난스럽게 벽에 다닥다닥 붙어있다. 제니아는 나를 보며 웃음을 터트린다.

 "천진난만하기 짝이 없군요."

 "마치 우리처럼?"

 "맞아요. 우리처럼. 특히 당신처럼."

 "왜 나지?"

"세월을 거꾸로 가고 있잖아요. 여전히 진지하거나 엄숙함과는 거리가 먼 토마스 씨. 마치 첫사랑을 만난 것처럼 부산하잖아요."

"칭찬처럼 들리는데?"

"맞아요. 당신의 그런 모습이 너무 좋아요."

우리는 멈춘 채 키스한다. 행복이 내려오듯, 모든 세상에 대한 나의 기나긴 기대는, 이제 나를 응용하는 수식으로 담긴 커다란 종용과도 같다. 그녀는 새큰거리는 향을 보내고, 나는 그녀의 거친 코웃음을 남김없이 빨아들일 듯한 자세로 심한 기울어짐의 끌림을 받아들인다.

"여기 담배 재떨이가 있어요. 아마 실내 금연인 것 같아요."

그녀는 담배를 문다. 나도 문다. 주체할 수 없는 흥분. 하늘거리는 담배 연기.

청색을 띤 연기가 공중을 가득 채우면서 우리 주위는 운명적인 분위기, 내밀한 끌어당김으로 가득 찬다. 그녀의 입에서 흰색 연기가 품어 오른다. 눈앞에서 그려지는 몽환은 마치 색정과 감각적인 갈증이 만들어내는 유토피아의 세계처럼 보인다. 아무런 응답을 듣지 않아도, 나는 내가 뿜은 만큼의 연기로 인하여, 그 기나긴 더운 여름의 한 조각, 개울에서 보낸 우리의 첫 스킨쉽에 대한 열정과 아픔을 비로소 마주할 수 있는, 엄연한 기분 속으로 빠져든다. 지나친 감정의 기복을 기록한 여정을 쏜살같이 해치울 수 있는 그런 가벼움 말이다. 그래, 그 기억이 즐겁다. 하얀 꽃들이 지나치게 낮아 보이는 그 숲을 지나치자 나는 고개를 수그리고 마치 아무 일도 없다는 듯이 자연스레 제니아의 가슴을 훑았다. 충동과 감각의 욕망을 넘기는 본능은, 그녀가 잠시 주춤거리며 반항의 손짓을 허공에 심으며, 내 뒷머리를 두 손으로 감싸 안을 때, 비로소 나는 안심으로 파닥거렸다.

물론, 필요치 않은 헛된 행위로, 그 귀한 시간에, 나의 열정을 소모하고자 하는 뜻은 필경 아닐 것이다. 무엇이든 넘칠 수 있다는 것과 그것에 상응한 거친 육체적 향연은, 반드시 우리 곁으로 흐르는 삶에 대한 자긍심과 겪어보지 못한 소용돌이 같은 것임은 틀림없다. 특히 새벽으로 이어지는 그 찰나의 황홀함을 수식하는 장식과 우리를 엮어내는 내밀한 동의에 대한 가치는 어쩌면 깨달음의 다른 면으로 삶을 바라보는 식견이 될 것이다.

식탁에 자리를 잡는다. 섬세한 인조 꽃과 캔들이 공간을 차지한다. 온화한 스모그 장식. 고요한 분위기. 테이블보의 모서리에는 고급스럽고 화려한 진주 장식이 수를 놓는다. 와인과 스테이크를 주문한다. 잠시 후, 수프를 홀짝인다. 테이블 위에는 화려하게 놓인 포도주잔과 샴페인 글라스가 향기로운 캔들 불빛에 반짝인다. 검붉은 와인이 우아한 잔에 부드럽게 따라지고, 유리 위에는 와인의 광택이 반영된다. 테이블의 중앙에는 신선한 과일이 가득한 과일 바스켓이 자리하고 있다. 이국적인 맛과 향을 선사하는 열대 과일은 마치 미술작품처럼 탐스럽다. 향긋한 치즈와 여러 종류의 견과류가 작은 접시에 담겨 있다. 작은 디저트 플레이트에는 아몬드가 박힌 초콜릿이 누워 있다. 그들의 조화로운 조합은 미감을 성욕만큼 끌어당긴다.

빵을 찢어 버터를 꾹 찔러 바르고 오물거리며 눈을 마주친다. 밤이 천천히 익어가는 희미한 불빛 아래, 우리는 담배와 와인의 매혹적인 조화에 빠져든다. 와인은 차갑고, 그것을 둘러싼 장식품들은 너절한 속단과 거친 숙면에 대한 가벼운 농담을 주고받는 이 한기의 밤을 속된 아름다움으로 느끼는 속으로 하염없이 거칠게 가고 마는, 너그러운 변칙으로 펼쳐진다.

Kwoon의 음악, <Ayron Norya>가 천장 모서리 네 군데, 까만 스피커에서 흘러나와 가슴으로 흘러내린다. 포도주잔을 들고 마시는 소리와 함께, 우리는 서로에게 퀭한 미소를 짓고 있다. 와인이 입속으로 스며들면서 순조로운 취기가 우리를 감싸 안는다. 우리의 광채는 서로를 향해 더욱 몰입하게 되고, 절규를 감싸는 처연한 음악은 분위기를 한층 더 강조한다.

밤이 깊어갈수록 우리의 대화는 짧아지고, 육체적 끌림은 더욱 강해졌다. 감정의 파도가 나의 정수리를 돌고 돈다. 마치 주변의 세계가 나를 중심으로 멈춘 듯하다. 세상은 사라지고 그녀의 하얀 얼굴만 남는다.

****

밖으로 나와 한동안 침묵이 흐르던 그녀와 나는, 담배 연기 속에서 서로를 확인한다. 안개비가 쉼 없이 내린다. 숨소리를 들으며, 담배 피우는 손을 주고받으며 점점 밀착한다. 가까이에서 느낄 수 있는 그녀의 따뜻한 내음과 담배의 향기는 순간을 장식한다.

"걷고 싶어요."

우리를 감싼 연기는, 걸음을 옮길 때마다, 슬프게도 뭉그적거리려 허공으로 사라진다. 가로등 불빛은 간간이 도시의 빈 곳을 비춘다. 낭만이 어우러진 공간에서, 나는 그녀를 세우고 강하게 끌어안고 입술에 혀를 세차게 집어넣는다. 감정의 고조와 함께하는 입맞춤. 탄식하며 속삭이는 입술에 비밀스러움이 춤을 춘다. 그녀의 입술은 나와 닿을 때마다, 담배의 미묘한 향과 함께 그녀만의 독특한 맛을 전해준다. 그 순간, 나는 우리의 사랑이 연기 속으로 춤추듯 퍼져나가는 모습을 상상한다.

습한 바람은 우리를 가볍게 감싼다. 나는 그녀에게 더욱 깊게 빠져든다. 담배 연기는 이 감정의 여정을 담아내듯 흩어져 나갔다.

골목길을 따라 걷는 인간들은 어둠 속에서 서로의 얼굴을 구분할 수 없을 정도로 가려져 있었지만, 그들의 움직임과 그림자는 각자의 이야기를 품고 있는 것처럼 보였다.

어둠 속에서는 거리의 코너에서 흘러나오는 간간한 음악 소리와 함께, 먼 곳에서 들려오는 차의 경적이 마치 도시의 심장 박동 같았다.

불빛의 이따금 번쩍이는 창문과 가로등은 어둠을 조금씩 밝혀내고는 있지만, 그 어둠은 여전히 도시를 감싸고 있었다. 건물들은 그림자로 가득 차 있어, 마치 도시 자체가 어둠의 예술작품에 둘러싸여 있는 듯한 느낌을 줬다.

****

호텔 방이 달그락거리며 자동으로 잠긴다.

끌림은 그녀의 감각적인 육체에 뿌리를 내린다. 그녀의 몸이 이 세계의 경계를 넘어 더 높은 차원의 아름다움을 담고 있는 것처럼, 나의 마음은 끊임없는 갈망에 휩싸여 있다. 제니아의 몸은 산만하고 소란스러운 세계에서 찾은 고요와 조용함의 상징이다. 그녀의 육체는 예술의 걸작이다. 부드러운 곡선이 그녀의 체형을 감싼다. 각 부분은 시적인 우아함과 절제된 조화로 물들어 있다. 피부는 실크처럼 매끈하고, 한 조각 불빛 속에서도 그녀의 매혹적인 형태는 뚜렷하게 감지된다. 머리는 햇살을 담근 금빛 보석처럼 반짝이며, 그녀의 얼굴을 둘러싼다.

NOVELIST
NAM
KING

그레고리 흘라디의 묘한 죽음

남킹

남킹 컬렉션 #001

남킹 컬렉션 #002

거짓과 상상 혹은 죄와 벌

남킹 장편소설

신의 땅
물의 꽃

남킹 장편소설

남킹 컬렉션 #003

심해
DEEP SEA

남킹 SF 장편소설

남킹 컬렉션 #004

남킹 컬렉션 #005

당신을 만나러 갑니다

남킹 사랑 이야기

블루 드래곤

744

남킹 대본집

남킹 컬렉션 #006

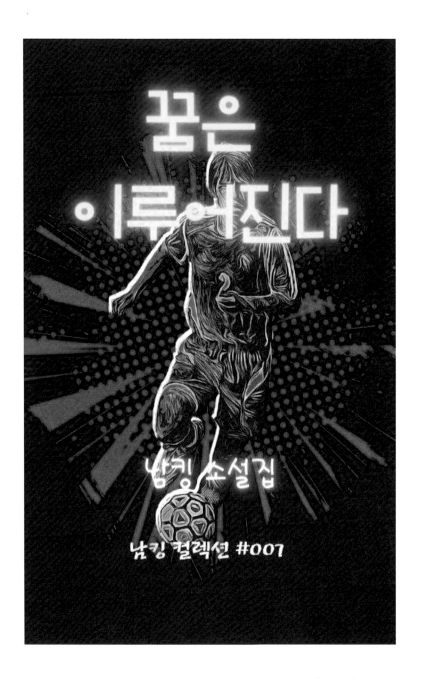

꿈은
이루어진다

남킹 소설집

남킹 컬렉션 #007

파벨 예언서

떠오르는 위협

남킹 장편소설

남킹 컬렉션 #008

떠날 결심

남킹 미니픽션

남킹 컬렉션 #009

남킹 컬렉션 #011

1월의 비

남킹 감성 소설집

남킹 컬렉션 #012

남킹의 문장 1

언어의 마법사 남킹의 문장들

남킹 컬렉션 #013

남킹의 문장 2

언어의 마법사 남킹의 문장들

남킹의 문장 3

언어의 마법사 남킹의 문장들

남킹 컬렉션 #014

남 킹 판타지 소설집

하니은 매화

남킹 컬렉션 #015

남킹 컬렉션 #16

남킹의 문장
4

남킹 컬렉션 #017

스네이크 아일랜드

1권

죽고싶지만 복수는 하고 싶어

남킹 판타지 스릴러

남킹 컬렉션 #018

천일의 여황제

세빈의 남자

남킹 판타지 소설

남킹 컬렉션 #019

이방인

남킹 장편소설

거리를
비워두세요

남 킹 음악 에세이

남킹 컬렉션 #020

사랑 그 쓸쓸함
에 대하여

남킹 음악산문

남킹 컬렉션 #021

남 킹

남킹 컬렉션 #022

알리칸테는
언제나 맑음

남 킹 에 세 이

남킹 컬렉션 #023

길에 내리는 빗물

남 킹 소 설 집

남킹 컬렉션 #024

서글픈 나의 사랑

남킹 장편소설

남킹 컬렉션 #025

남킹 SF
소설집

브런치 스토리

남킹 컬렉션 #026

버스 민페녀

남킹 슬픈 이야기

남킹 컬렉션 #027 소설집

남킹 스토리

브런치 스토리

남킹 컬렉션 #029

남킹의 음악과 글

브런치 스토리

남킹 컬렉션 #031

남킹 SF 철학 소설

눈물이 당신의
볼을 타고

브런치 스토리

남킹 컬렉션 #033

시시포스

브런치 스토리

남킹 소설집

남킹 컬렉션 #034

남킹 장편소설 미리보기

그리고 리훌라디의 묘한 죽음

스네이크 아일랜드

파벨 예언서

거짓과 상상 혹은 죄와 벌

천일의 여황제

이방인

신의 땅 불의 꽃

심해

남킹 컬렉션 #035

죽이고 싶지만
섹스는 하고 싶어

남킹 범죄 소설집

남킹 컬렉션 #036

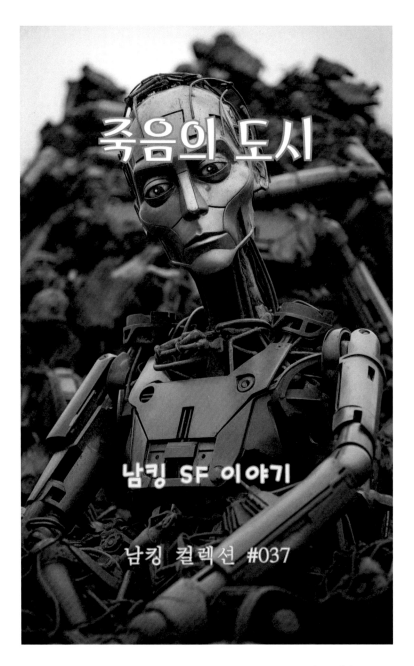

죽음의 도시

남킹 SF 이야기

남킹 컬렉션 #037

제너로 알려진
노금희

남킹의 기이한 이야기

남킹 컬렉션 #038

삶을 관통하는
이야기
브런치 스토리

love

남킹 소설집

offee

남킹 컬렉션 #039

흥민 빌라 404

범죄 소설

남킹 지음

남킹 컬렉션 #040

　남킹 SF 철학 소설